Pour L, W, C & S

Texte traduit de l'américain par Élisabeth Duval

Titre de l'ouvrage original : KITTEN'S FIRST FULL MOON
Éditeur original : Greenwillow Books,
an imprint of HarperCollins Publishers, New York
Copyright © 2004 Kevin Henkes
Tous droits réservés
Pour la traduction française : © 2004 Kaléidoscope,
11, rue de Sèvres, 75006 Paris, France
Loi n° 49.956 du 16 juillet 1949 sur les publications
destinées à la jeunesse : septembre 2004
Dépôt légal : septembre 2004
Imprimé en Italie

www.editions-kaleidoscope.com

Diffusion l'école des loisirs

Un petit bol de lait dans le ciel

Kevin Henkes

Un petit bol
de lait

dans le ciel

kaléidoscope

C'est la première fois
que Minou voit la pleine lune.
Elle l'observe, et elle se dit :
"il y a un petit bol de lait dans le ciel."
Et elle en a envie.

Alors elle ferme les yeux,

elle étire son cou,

elle sort sa langue et lape.

Mais Minou ne trouve qu'un moustique
sur le bout de sa langue.
Pauvre Minou !

Pourtant, dans le ciel, le petit bol de lait

n'attend qu'elle.

Alors elle reprend ses esprits,
ses pattes arrière frémissent
et elle saute du haut du perron.

Mais Minou tombe par terre,

se cogne le museau, s'égratigne l'oreille

et se froisse la queue.

Pauvre Minou !

Pourtant, dans le ciel, le petit bol de lait

n'attend qu'elle.

Alors elle se lance à sa poursuite,

sur l'allée,

dans le jardin,

à travers champs,

jusqu'à l'étang.

Mais Minou voit bien

qu'il est toujours aussi loin.

Pauvre Minou !

Pourtant, dans le ciel, le petit bol

n'attend qu'elle.

Alors elle cherche

l'arbre le plus grand,

grimpe le long

de son tronc

et grimpe

et grimpe

jusqu'au sommet.

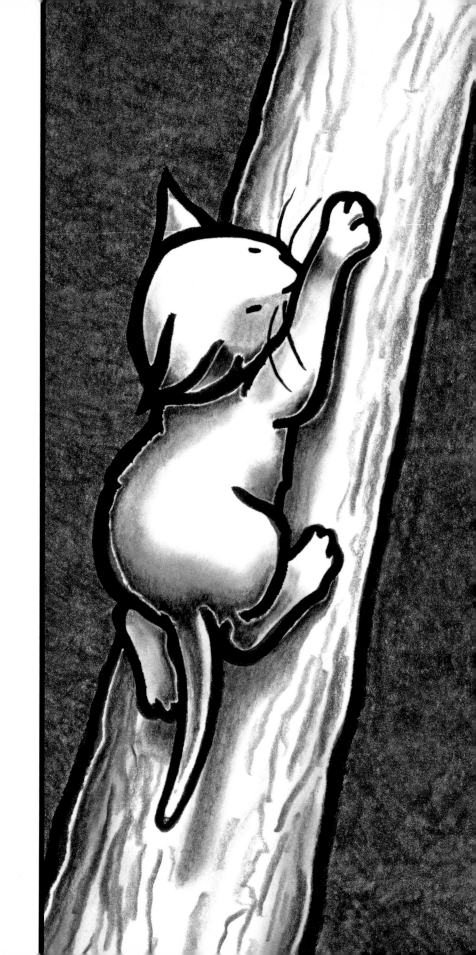

Mais Minou

ne peut toujours pas

atteindre

le bol de lait,

et maintenant

elle a peur.

Pauvre Minou !

Que peut-elle faire ?

Alors, dans l'étang, Minou aperçoit

un autre bol de lait.

Il est encore plus grand.

Quelle nuit !

Elle redescend de l'arbre en courant
elle court dans l'herbe,

elle court jusqu'au bord de l'étang,

elle prend tout son élan et bondit.

Pauvre Minou !

Elle est mouillée et triste et fatiguée,

et elle a faim.

Alors elle rentre
à la maison...

...et elle trouve

un immense

bol de lait

    sur le perron,

qui n'attendait qu'elle.

Heureux Minou !